신기한 스쿨 버스 Kids

⑰ 쑥쑥 자라라, 콩나무 — 식물이 자라는 데 필요한 것

조애너 콜 글 · 브루스 디건 그림/ 이강환 옮김

1판 1쇄 펴냄—2002년 8월 19일, 1판 51쇄 펴냄—2016년 12월 16일
펴낸이 박상희 펴낸곳 (주)비룡소 출판등록 1994. 3. 17.(제16-849호)
주소 06027 서울시 강남구 도산대로1길 62 강남출판문화센터 4층
전화 영업 02)515-2000 팩스 02)515-2007 편집 02)3443-4318,9 홈페이지 www.bir.co.kr
제품명 어린이용 각양장 도서 제조자명 (주)비룡소 제조국명 대한민국 사용연령 3세 이상

ISBN 978-89-491-5040-6 74400 / ISBN 978-89-491-5023-9(세트)

신기한 스쿨 버스 키즈 Kids

⑰ 쑥쑥 자라라, 콩나무 — 식물이 자라는 데 필요한 것

조애너 콜 글·브루스 디건 그림/ 이강환 옮김

비룡소

프리즐 선생님이 옆에 있으면 무슨 일이 일어날지 아무도 알 수 없어요!

우리 반이 「잭과 콩나무」 연극을 하는 날이었어요.

완다가 잭 역할을 맡았고, 리즈는 황금 거위, 카를로스는 거인,

키샤는 잭의 엄마 그리고 팀은 시장의 노인을 맡았어요.

우리는 모두 분장을 하고 무대로 갔지요.

그때 완다가 무대를 보며 물었습니다. "콩나무는 어디 있어?"

콩나무는 이 연극에서 가장 중요한 소품이에요!

소품은 피비가 준비하기로 했지요. 하지만 피비는 아무 데도 없었어요.

잠시 후 우리는 소품실에서 피비를 찾았어요.

피비는 초록색 종이 잎을 종이 막대기에 붙이고 있었지요.

하지만 그 막대기는 전혀 콩나무 같지 않았어요.

키샤가 종이 막대기를 가리키며 물었어요.

"진짜 콩나무를 키운다더니 어떻게 된 거야?"

피비는 흥분하며 말했습니다. "정말 해 봤어! 진짜 콩 싹이 났다고.

하지만 더 이상은 자라지 않던걸. 뭐가 잘못된 건지 모르겠어."

피비는 우리에게 조그맣고 연한 싹이 난 화분을 보여 주었어요.

에계계 , 이게 콩나무야?

"콩나무가 없으면 연극을 할 수 없어!" 완다가 말했어요.

그때 프리즐 선생님이 나타나 즐거운 목소리로 외쳤습니다.

"물론 그렇죠. 하지만 공연을 취소하는 일은 없을 거예요. 소품실에

콩나무가 없다면, 다른 곳에서 구하면 되죠! 자, 모두 스쿨 버스를 타세요!"

우리가 버스에 타려는 순간, 피비가 말했습니다. "잠깐만요. 콩나무를 키우는 것은 제 일이니까 뭔가 키울 일이 있다면 제가 하겠어요."

프리즐 선생님은 기쁜 듯 눈을 반짝거리며 말했어요. "피비, 정말 좋은 생각이구나. 넌 여기 가만히 서 있기만 하렴. 우리가 금방 키워 줄 테니까."

프리즐 선생님이 또 뭘 하려는 걸까요?

리즈가 버스의 계기판 단추를 누르자 피비의 몸이 점점 작아졌어요.
순식간에 피비는 작은 초록색 콩나무로 변했어요!
"피비가 마법의 콩나무가 됐어!" 카를로스가 외쳤어요.
피비는 놀라서 물었어요. "내가 콩나무가 됐다고? 나는 콩나무를
키우겠다고 했지 콩나무가 되겠다고 한 게 아니야!"
우리는 버스에서 내려 피비를 보기 위해 달려갔어요.

내가 전에 다니던 학교에서는 학생이 콩나무가 되는 일은 없었어!

프리즐 선생님은 피비를 정원에 있는 고구마 옆에 놓으며 말했어요.
"무럭무럭 잘 자라라. 이 고구마가 많은 걸 도와줄 거야."
　피비는 마법의 콩나무가 되기 위해 아주 크게 자라야만 해요. 하지만 피비는
어떻게 해야 자랄 수 있는지 몰랐어요. 식물이 되어 본 적이 없으니까 당연하죠!
　키샤는 좋은 생각이 떠올랐어요. "아마 먹을 게 필요할 거야! 살아 있는 생물은
자라기 위해서 꼭 음식이 필요하거든."
　키샤는 피비에게 치즈 과자를 건네주었어요.

네가 자라야, 내가 마법의
콩나무를 타고 올라갈 수 있지.
그렇지 못하면 연극은 끝이야!

우와!

피비가 말했어요. "난 배가 고파. 하지만 사람들이 먹는 그런 음식은 먹을 수 없어."

우리는 그 말이 맞다고 생각했어요. "맞아. 피비, 넌 식물이니까 식물이 먹는 음식이 필요해." 피비가 다시 물었어요. "그런데 식물은 음식을 어떻게 먹지?"

도로시 앤이 곰곰이 생각하다 대답했어요. "글쎄, 식물은 입도 손도 없잖아. 혹시 뿌리로 먹는 건가?"

완다는 궁금했어요. "그러면 식물은 무엇을 먹어?"

"흙을 먹을지도 몰라." 도로시 앤이 말했습니다.

이 말을 듣자, 프리즐 선생님은 이상하게 생긴 비디오카메라를 가방에서 꺼내 피비 앞에 놓았어요. 그 비디오카메라로 피비와 우리는 서로의 모습을 볼 수 있었어요. 이야기를 나눌 수도 있었죠.

선생님이 말했습니다. "모두 버스에 타세요."

우리는 다시 버스에 올라타서 안전띠를 맸어요. 스쿨 버스는 노란 회오리를 일으키면서 점점 작아지더니 땅속으로 파고들어 갔어요.

뿌리까지 파고들어 봐요!

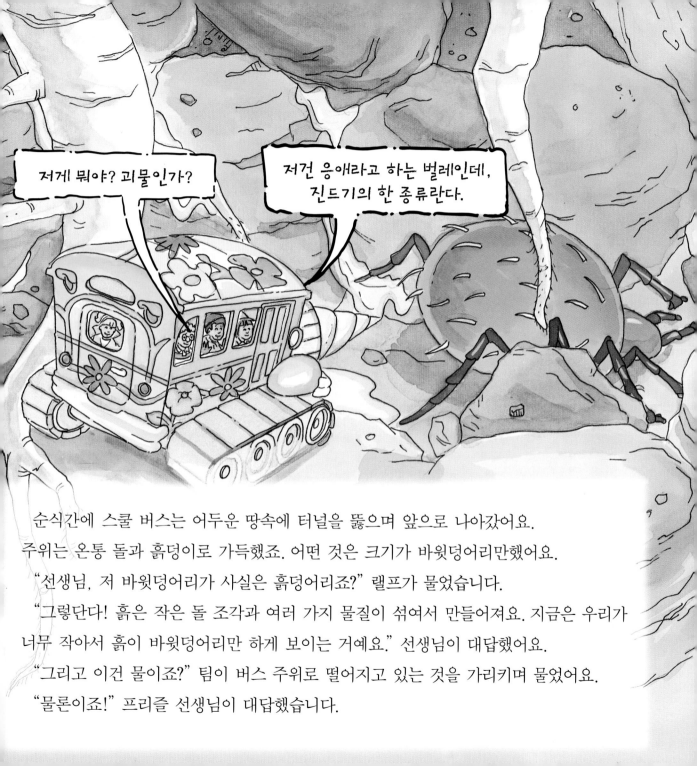

순식간에 스쿨 버스는 어두운 땅속에 터널을 뚫으며 앞으로 나아갔어요.
주위는 온통 돌과 흙덩이로 가득했죠. 어떤 것은 크기가 바윗덩어리만했어요.
"선생님, 저 바윗덩어리가 사실은 흙덩어리죠?" 랠프가 물었습니다.
"그렇단다! 흙은 작은 돌 조각과 여러 가지 물질이 섞여서 만들어져요. 지금은 우리가
너무 작아서 흙이 바윗덩어리만 하게 보이는 거예요." 선생님이 대답했어요.
"그리고 이건 물이죠?" 팀이 버스 주위로 떨어지고 있는 것을 가리키며 물었어요.
"물론이죠!" 프리즐 선생님이 대답했습니다.

그때 갑자기 커다란 무언가가 우리에게 다가오고 있었어요.
피비가 비디오 화면을 통해 우리에게 알려 주었어요. "그건 뿌리야."
"뿌리가 자라기 때문에 움직이는 거야." 도로시 앤이 말했습니다.
"자라고 있다면, 어딘가에서 음식을 얻고 있다는 말이잖아!" 완다가 외쳤어요.
"물을 빨아들이고 있는 것 같아!" 랠프가 덧붙여 말했습니다.

갑자기 선생님이 버스의 손잡이를 당겼어요. 그러자 버스는 더욱 작아졌어요.
"어떻게 된 거야? 살려 줘!" 우리는 모두 소리쳤어요. 우리는 계속 작아져서
결국 물방울만 해졌어요! 그때, 뿌리 끝에서 조그마한 뭔가가 뽈록 솟아났어요.
완다가 놀라서 소리쳤어요. "뿌리가 커지고 있어!"
프리즐 선생님이 설명했습니다. "뿌리에서 뿌리털이 자라는 거란다."
뿌리털은 주위에 있는 물을 빨아들이기 시작했어요.
그리고 우리까지 빨아들이려 하지 뭐예요!

식물 뿌리에게 먹히다니!

우리는 이제 어떡하지?

"선생님, 빨리 어떻게 좀 해 보세요!" 피비가 화면을 통해 외쳤어요.

"걱정하지 말아요. 우리는 문제를 뿌리부터 해결할 테니까!"

선생님이 말했습니다.

그 순간 우리는 물과 함께 뿌리 속으로 빨려 들어갔어요.

우리의 모습이 보이지 않자 피비는 걱정이 됐어요. "얘들아, 어디 있니?"

"뿌리털 속에 있어!" 우리가 대답했어요.

"식물은 흙에서 음식이 아니라 물을 빨아들이는 것 같아."

키샤가 비디오카메라의 마이크를 통해 피비에게 말했습니다.

"그럼 음식은 어디서 구하는 거야? 난 배고파. 식물이 무엇을 먹는지

알아야 내가 자랄 수 있지!" 피비가 외쳤어요.

한편, 다른 반 아이들이 운동장을 가로질러 체육관으로 가기 시작했어요.
우리 반 연극을 보려고요. 피비는 리즈에게 부탁했습니다.
"빨리, 나를 숨겨 줘. 이런 모습을 다른 애들에게 보이기 싫어."
　리즈는 커다란 종이 상자를 가져와 피비에게 씌워 주었어요. 상자 안은 빛이
들어오지 않아 아주 캄캄했어요.

갑자기 우리는 줄기를 따라 물과 함께 빨려 올라갔어요! 정말 놀라웠지요!

"식물이 뿌리나 줄기에서 음식을 얻는 건 아니야. 그렇다면 음식은 잎에

있을 거야." 줄기 속에서 빨려 올라가는 도중에 랠프가 말했습니다.

"이미 잎으로 가고 있는 것 같은데." 완다가 말했어요.

우리는 화면을 통해 피비를 봤어요.

피비는 배가 너무 고파서 허리가 휘어졌지 뭐예요!

"여기가 바로 잎이에요." 프리즐 선생님이 말했습니다. 우리는 버스에서 내렸어요.
와—! 잎 속은 너무나 아름다웠어요!

"여기가 정말 잎이야? 난 잎은 아무것도 없이 편평할 줄 알았는데!" 팀이 말했어요.

도로시 앤이 말했습니다. "이렇게 많은 걸 볼 수 있는 건 우리가 아주 작아졌기
때문이야. 여기 봐, 여러 가지 세포들이 이렇게나 많아!"

"이 초록색 덩어리 때문에 잎이 초록색으로 보이는 걸 거야." 카를로스가 말했어요.

프리즐 선생님이 말했습니다. "맞아요! 이 멋진 초록색 덩어리를 엽록체라고 하죠."

"이 엽록체가 식물이 먹는 음식인가요?" 완다가 물었어요.

"아니에요. 하지만 거의 맞혔어요." 프리즐 선생님이 대답했어요.

엽록체는 식물의 세포 안에 있어요!

그때, 키샤가 우리의 발밑에 있는 무언가를 발견했어요.

그것은 계속 열렸다 닫혔다 해서 우리는 그 틈으로 밖을 내다볼 수 있었어요.

이 열렸다 닫혔다 하는 구멍을 **기공**이라고 부른대요.

키샤가 기공을 가리키며 말했습니다. "음식이 저기로 들어오나 봐."

그때 기공을 통해 공기가 들어왔어요.

"기공이 열리면 공기가 들어와!" 완다가 외쳤어요.

"이게 음식일까?" 아널드가 공기를 가리키며 물었습니다.

"글쎄, 냄새를 한번 맡아 볼까?" 랠프가 말했습니다.

랠프, 조심해! 너무 숙이지 마. 떨어지겠어!

랠프는 기공 쪽으로 몸을 숙였어요. 기공으로 들어오는 바람의 냄새를 맡으려고요.

"아니야, 이건 음식 냄새가 아니라……."

랠프가 몸을 너무 많이 숙이는 바람에 그만 기공 쪽으로 떨어져 버렸어요.

바로 그때, 기공이 열리기 시작했어요.

"도와줘!" 기공으로 점점 떨어지면서 랠프가 소리쳤어요.

다행히 기공이 활짝 열리는 순간, 강한 바람이 잎 안으로 불어 들어와 랠프의 몸을 들어올렸어요!

랠프는 바람에 실려 붕—! 날아와 원래 있던 자리에 떨어졌어요.

뒤에 서 있던 우리도 바람이 불어오는 것을 느낄 수 있었지요.

"그러니까 식물은 잎 뒤에 있는 저 기공으로 공기를 빨아들이는 거구나." 키샤가 말했습니다.

"그리고 뿌리와 줄기로 물을 빨아올리고." 완다도 한마디 했어요.

"하지만 그게 음식하고 무슨 상관이 있어?" 완다와 키샤가 동시에 물었어요.

그때 햇빛이 비치기 시작했어요. 그러자 놀라운 일이 벌어졌어요. 엽록체들이
움직이기 시작한 거예요. 엽록체들은 햇빛이 비치는 쪽으로 몰려들었어요.

"우와——, 엽록체들이 움직이고 있어!" 카를로스가 말했습니다.

아널드가 엽록체를 보면서 물었습니다. "무슨 일이 일어난 거야?"

우리는 프리즐 선생님이 준 잠수복을 입고 세포 속으로 들어갔어요.
그러고는 엽록체를 향해 헤엄쳐 갔지요.

"야호——!" 프리즐 선생님이 엽록체에 올라타서 소리쳤어요.

엽록체는 햇빛을 향해 가고 있었어요.

나를 따라오세요!

엽록체에 올라타면
빨리 갈 수 있겠다!

"엽록체가 빛을 따라가고 있어" 완다가 외쳤어요.

"엽록체들이 햇빛을 빨아들이고 있어!" 팀이 말했습니다.

"태양이 엽록체에게 에너지를 주는 것 같아." 도로시 앤이 말했습니다.

키샤가 엽록체 하나를 가리키며 말했어요.

"저것 봐. 엽록체는 햇빛만 받는 게 아니야! 물과 공기도 빨아들이고 있어!"

우리는 햇빛이 엽록체를 비추는 것을 보았어요.

물과 공기가 정말로 엽록체 속으로 쑤욱 들어가고 있었어요!

그러고 나서 엽록체에서 하얀 물질이 쏟아져 나왔어요!

우리는 그 하얀 물질이 엽록체에서 나와 세포 속으로 퍼지는 것을 지켜봤어요.
"엽록체가 꼭 요리를 하는 것 같아!" 키샤가 말했습니다.

완다가 하얀 물질 쪽으로 다가가며 말했습니다. "엽록체가 햇빛과 공기와 물을
이용해서 이것을 만들어 내는 거야! 이건 아주 끈적끈적한데!"

완다는 잠수 헬멧을 들어 올렸어요. 그때, 하얀 물질이 완다의 얼굴로 쏟아졌어요.

완다가 깜짝 놀라 소리쳤지요. "푸푸푸! 입으로 들어갔어!"

완다는 아예 잠수 헬멧을 완전히 벗고 말했습니다.
"어, 아주 달잖아! 엽록체가 만드는 게 당분인가 봐."

"식물은 이 당분을 먹나 봐. 식물은 음식을 다른 곳에서 가져오지 않잖아. 식물은 스스로 음식을 만들어 내!" 키샤가 외쳤습니다.

"그래요! 아주 달콤한 발견이죠?" 프리즐 선생님이 버스로 뛰어내리며 말했어요.

우리는 이 사실을 피비에게 알려 주기 위해 비디오카메라로 달려갔어요.

"여기는 버스, 피비 나와라, 오버. 피비, 알아냈어! 식물이 자라기 위해서는 공기랑 물이랑 햇빛만 있으면 돼!" 팀이 말했습니다.

"하지만 나는 음식을 만들 수가 없어! 공기와 물은 있지만, 이 상자 안으로 햇빛이 들어오지 않거든." 피비가 중얼거렸습니다.

"상자라니? 상자 안에서 뭐 하는 거야?" 키샤가 소리쳤습니다.

피비는 틀림없이 배가 엄청 고플 거예요!

식물이 스스로 음식을 만들기 위해서는 햇빛이 꼭 필요하거든요!

우리는 서둘러 스쿨 버스를 타고, 피비를 구하러 갔어요.

빨리 출발합시다. 모두 안전띠를 매세요!

그동안, 다른 반 아이들은 연극을 보기 위해 체육관에서 우리를 기다리고 있었어요. 아이들은 기다리는 데 점점 지쳐가고 있었지요.

우리는 나뭇잎에서 튀어나왔어요.

프리즐 선생님이 단추 몇 개를 누르자, 스쿨 버스는 원래 크기로 돌아왔어요.

우리는 버스에서 내리자마자, 피비가 있는 상자로 달려갔어요.

하지만 피비는 어디에도 없었어요. 리즈도 보이지 않았고요.

우리가 체육관으로 갔을 때, 피비는 이미 무대에 올라가 있었어요. 리즈는
나무 막대기로 피비의 줄기를 세우고 있었어요. 피비는 아직도 자라지 못했어요.

하지만 프리즐 선생님은 연극을 시작했어요.

"옛날 옛날에, 잭이라는 소년이 살고 있었어요."

그러고는 리즈에게 속삭였습니다. "리즈, 창문을 열어."

리즈가 버스 계기판의 단추를 누르자, 버스는 커다란 크레인으로 바뀌었어요.

버스 크레인은 체육관의 천장에 있는 창문을 열었지요.

햇빛이 체육관 안으로 들어와 피비를 비추었어요.

그러자 피비는 곧 기운을 되찾았어요.

햇빛이 비치자, 피비는 두려움이 없어졌어요. 피비는 잎의 기공을 열어 공기를 빨아들였지요. 프리즐 선생님은 연극을 계속했어요.

"그날 밤, 마법의 콩나무가 자라서 놀라운 일이 일어났습니다."

하지만 여전히 문제가 있었어요. 피비는 물과 공기는 빨아들였지만, 아직도 햇빛을 빨아들이지 못하고 있었죠. 우리는 왜 피비가 햇빛을 빨아들이지 못하는지 금방 알아차렸어요. 피비의 잎이 모두 둥글게 말려 있었거든요!

"잎을 펴기만 하면 돼." 키샤가 피비에게 속삭였습니다.

우리는 피비의 몸속에서 일어나는 일을 비디오 화면을 통해 볼 수 있었어요.

피비의 잎 속에 있는 엽록체들이 햇빛을 받기 위해 모여들었어요.

그러자 당분이 쏟아져 나와 줄기로 내려갔지요.

야호! 피비가 드디어 스스로 음식을 만들기 시작했어요!

그러자 피비가 자라기 시작했어요. 믿을 수 없을 만큼 빠르게요!

관객들은 모두 놀라 소리를 질렀지요.

피비는 점점 자라서 천장에 있는 창문 밖으로 나갔어요!

"내가 해냈어! 스스로 음식을 만들어 자라난 거야! 내가 지금까지 키운

어떤 콩나무보다 더 훌륭한 콩나무가 됐어." 피비는 너무 기뻐 외쳤어요.

관객들이 모두 일어나 박수를 쳤어요.

"감사합니다, 감사합니다! 이 모든 것이 식물이 음식을 만들 때 필요한 햇빛, 물, 공기 덕분입니다!" 피비가 말했습니다.

연극이 끝난 후, 피비가 선생님에게 물었어요. "제가 다시 피비로 돌아갈 수 있나요?"

"물론이지!" 프리즐 선생님이 말했습니다.

리즈가 다시 스쿨 버스의 단추를 누르자, 피비도 원래의 모습으로 돌아왔어요.

"피비, 정말 멋졌어!" 선생님이 말했습니다.

피비는 기뻤지만, 그것보다 배가 너무너무 고팠어요.

너무 오랫동안 밥을 먹지 못했거든요. 아널드가 피비에게 도넛 하나를 주었어요.

선생님이 웃으며 말했어요. "공기, 물, 햇빛을 먹을 수 있는 건 식물뿐이지요."

따르르릉!

피비: 여보세요! 신기한 스쿨 버스입니다.

정원사: 안녕하세요. 방금 식물에 관한 책을 읽었어요. 그런데 몇 가지 물어볼 게 있어요.

피비: 네, 뭐든지 물어보세요!

정원사: 식물은 정말로 물과 공기만 있으면 스스로 음식을 만들어 내나요?

피비: 물, 공기 그리고 햇빛이죠. 햇빛이 정말 중요해요. 식물은 음식을 만들기
위해 햇빛 에너지를 이용하니까요.

정원사: 그렇지만 사람은 햇빛 에너지를 이용하여 음식을 만들 수 없지요.

피비: 네. 우리는 에너지를 얻으려면 식물을 먹어야 해요. 아니면 식물을
먹고 사는 동물을 먹지요.

정원사: 그래서 식물이 우리에게 아주 중요한 거군요?

피비: 맞아요. 식물은 다른 생물을 먹여 살리지요.

정원사: 그런데 궁금한 게 하나 더 있어요. 식물이 음식을 만드는 데 흙을 사용하지
않는다는 건 알았어요. 그러면 흙은 어디에 쓰이나요?

피비: 흙은 식물이 자라는 데 필요한 영양소를 공급해 줘요. 그리고 식물이 뿌리를
내리고 서 있을 수 있도록 해 주고요. 다른 질문은 없나요?

정원사: 있어요. 어떻게 콩나무가 그렇게 빨리 자랄 수 있죠? 나는 식물이 자라는 걸
한 번도 본 적이 없어요. 식물은 아주아주 천천히 자라지 않나요?

피비: 이건 마법의 콩나무거든요. 실제로 식물은 너무 천천히 자라기 때문에
자라는 것을 눈치챌 수도 없지요.

정원사: 고마워요! 덕분에 저도 많이 자란 것 같아요!

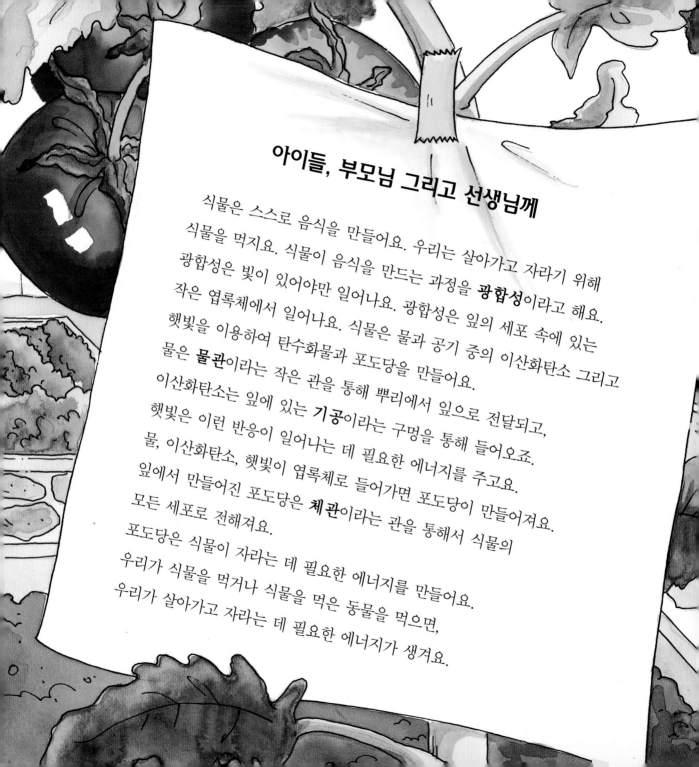

아이들, 부모님 그리고 선생님께

식물은 스스로 음식을 만들어요. 우리는 살아가고 자라기 위해 식물을 먹지요. 식물이 음식을 만드는 과정을 **광합성**이라고 해요. 광합성은 빛이 있어야만 일어나요. 광합성은 잎의 세포 속에 있는 작은 엽록체에서 일어나요. 식물은 물과 공기 중의 이산화탄소 그리고 햇빛을 이용하여 탄수화물과 포도당을 만들어요.

물은 **물관**이라는 작은 관을 통해 뿌리에서 잎으로 전달되고, 이산화탄소는 잎에 있는 **기공**이라는 구멍을 통해 들어오죠. 햇빛은 이런 반응이 일어나는 데 필요한 에너지를 주고요. 물, 이산화탄소, 햇빛이 엽록체로 들어가면 포도당이 만들어져요. 잎에서 만들어진 포도당은 **체관**이라는 관을 통해서 식물의 모든 세포로 전해져요.

포도당은 식물이 자라는 데 필요한 에너지를 만들어요. 우리가 식물을 먹거나 식물을 먹은 동물을 먹으면, 우리가 살아가고 자라는 데 필요한 에너지가 생겨요.

글쓴이 **조애너 콜**은 미국 뉴저지 주 뉴어크에서 태어났다. 초등학교 사서로 있다가 어린이 책 작가가 된 조애너는 책을 쓰기 전에 전문가 인터뷰와 철저한 자료 조사를 하는 것으로 유명하다. 「신기한 스쿨 버스」 시리즈로 《워싱턴 포스트》 논픽션 상, 데이비드 맥코드 문학상, 전미교육협회 공로상 등을 받았다.

그린이 **브루스 디건**은 1945년 미국에서 태어나 뉴욕 쿠퍼 유니언 대학과 프라트 대학에서 일러스트를 전공했다. 「신기한 스쿨 버스」의 주인공들처럼 밝고 익살스러운 성격으로, 한때 아이들에게 미술을 가르치기도 했다. 자신이 직접 글을 쓴 『잼베리』 등을 비롯, 수십 권의 어린이 책에 그림을 그렸다.

옮긴이 **이강환**은 서울대학교 천문학과를 졸업하고, 같은 대학 대학원에서 박사 학위를 받았다. 옮긴 책으로는 『꼬마 박사 궁금이의 똑똑한 뇌 이야기』, 『별의별 원소들』, 「신기한 스쿨 버스」 시리즈 등이 있다.